Les merveilleuses

HISTOIRES DU SOIR

pour les petits

FLEURUS

Illustration de couverture : Madeleine Brunelet

Direction : Guillaume Arnaud
Direction éditoriale : Sarah Malherbe
Édition : Camille Icole, Claire Renaud
Direction artistique : Élisabeth Hebert
Conception graphique : Ariane Bienaymé
Mise en pages : Coralie Ibagnes
Gravure : SNO
Fabrication : Thierry Dubus, Audrey Bord

Site : www.fleuruseditions.com
ISBN : 978-2-2151-2098-8
Code MDS : 651 747

HISTOIRES DU SOIR

pour les petits

Sommaire

Les farces infernales d'Agathe ..... p. 8
Histoire de Pascale Hédelin, illustrée par Gretchen Von S.

La nuit des amoureux ..... p. 15
Histoire de Pascale Hédelin, illustrée par Romain Guyard

Une école en caravane ..... p. 22
Histoire de Florence Vandermarlière, illustrée par Marie Morey

Pipol et la baguette magique ..... p. 29
Histoire de Pascale Hédelin, illustrée par Patrick Morize

Un ami pour la nuit ..... p. 37
Histoire de Florence Vandermarlière, illustrée par Marie Morey

Chocolat le petit chien ..... p. 43
Histoire de Christelle Chatel, illustrée par Mélanie Grandgirard

Une nuit sans Dodokali ..... p. 50
Histoire de Pascale Hédelin, illustrée par Caroline Modeste

Ombeline, princesse à cheval .... p. 57
Histoire de Florence Vandermarlière, illustrée par Mélanie Grandgirard

Le lion qui n'avait pas d'amis .... p. 64
Histoire de Christelle Chatel, illustrée par Marie Morey

Une étrange disparition .... p. 71
Histoire de Christelle Chatel, illustrée par Claire Chavenaud

Lilas-Rose et le lutin .... p. 78
Histoire de Christelle Chatel, illustrée par Alexandre Roane

Une poupée au pays des garçons .... p. 85
Histoire de Christelle Chatel, illustrée par Caroline Modeste

Les jeux de Bulle .... p. 92
Histoire de Pascale Hédelin, illustrée par Patrick Morize

Le bébé dragon .... p. 99
Histoire de Christelle Chatel, illustrée par Patrick Morize

La formule anti-cauchemars .... p. 106
Histoire de Pascale Hédelin, illustrée par Mélanie Grandgirard

Lulu, le petit ver de terre qui voulait une garde-robe .... p. 113
Histoire de Florence Vandermarlière, illustrée par Alexandre Roane

Le plus beau des palais .... p. 120
Histoire de Pascale Hédelin, illustrée par Mélanie Grandgirard

La mission de Jasmin .... p. 127
Histoire de Pascale Hédelin, illustrée par Romain Guyard

L'hiver à l'abri .... p. 134
Histoire de Pascale Hédelin, illustrée par Caroline Modeste

Guillaume et la fleur d'étoile .... p. 141
Histoire de Florence Vandermarlière, illustrée par Alexandre Bonnefoy

Une libellule extraordinaire .... p. 148
Histoire d'Éléonore Cannone, illustrée par Virginie Chiodo

Le secret de Nina .... p. 155
Histoire de Christelle Chatel, illustrée par Virginie Chiodo

Jim la Terreur .... p. 162
Histoire de Pascale Hédelin, illustrée par Alexandre Bonnefoy

La révolte des moutons .... p. 169
Histoire de Christelle Chatel, illustrée par Alexandre Bonnefoy

Robin et la licorne enchantée .... p. 176
Histoire de Pascale Hédelin, illustrée par Marie Morey

Choupinet veut être un grand frère .... p. 183
Histoire de Florence Vandermarlière, illustrée par Alexandre Bonnefoy

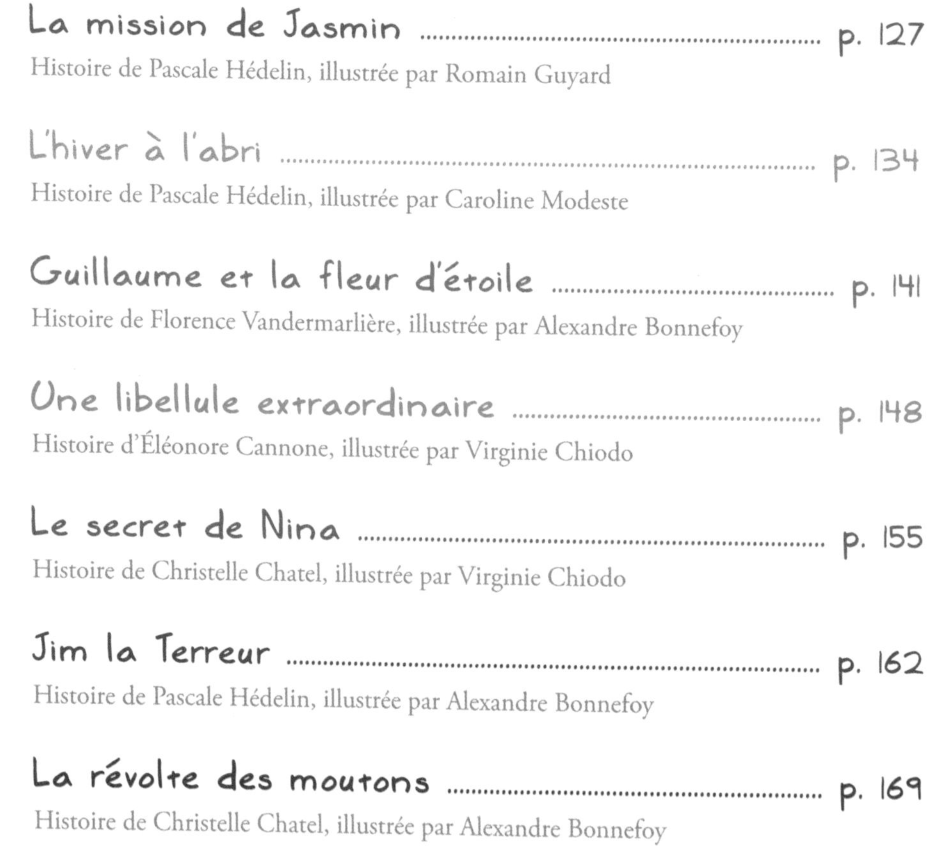

Léa, la petite coccinelle qui voulait compter jusqu'à 10 ! .... p. 190
Histoire de Florence Vandermarlière, illustrée par Mayana Itoïz

La nouvelle robe de la sorcière Ratafia .... p. 197
Histoire de Florence Vandermarlière, illustrée par Gretchen Von S.

L'amitié, c'est… magique ! .... p. 204
Histoire de Florence Vandermarlière, illustrée par Marie Morey

Qui a volé le sable du marchand de sable ? .... p. 211
Histoire de Christelle Chatel, illustrée par Patrick Morize

À l'école des princesses .... p. 218
Histoire de Christelle Chatel, illustrée par Caroline Modeste

Jacotte, la petite tortue qui voulait faire du patin à roulettes .... p. 225
Histoire de Florence Vandermarlière, illustrée par Gretchen Von S.

La fée Folette a perdu ses lunettes .... p. 232
Histoire de Florence Vandermarlière, illustrée par Mayana Itoïz

Farces et compagnie .... p. 239
Histoire de Christelle Chatel, illustrée par Patrick Morize

La vieille cigale et les petites fourmis........ p. 246
Histoire de Christelle Chatel, illustrée par Marie Morey

POIVRE BLANC
POIVRE BLANC
SUCRE

Les farces infernales d'Agathe

La princesse Agathe s'amuse bien au château.
Hier, elle a mélangé les ingrédients du cuisinier.
Sans le savoir, celui-ci a préparé un gros gâteau
au poivre ! Tout le monde a hurlé et Agathe a bien ri.
Puis elle a glissé une pomme dans la trompette
du musicien : il avait beau souffler, aucun son ne sortait !

« Ma fille est adorable, laissons-la s'amuser, ses blagues sont tellement drôles ! » déclare chaque fois le roi. Aussi, personne n'ose se fâcher contre Agathe. Aujourd'hui, la fillette a préparé une nouvelle farce : elle a remplacé l'épée du chevalier Gaspard par l'épée en bois de son petit frère. Cachée dans la cour, elle observe Gaspard câliner son cheval.

Soudain, un étrange vagabond surgit, l'air menaçant.
« Oh ! souffle Agathe, c'est un méchant voleur déguisé en mendiant et entré en cachette. Prenez garde, messire ! » hurle-t-elle à Gaspard.
Le chevalier dégaine son épée… et, stupéfait, il découvre le jouet ! Le voilà sans défense !

Agathe se précipite. Elle jette un drôle de bâton qu'elle a dérobé à son père dans les jambes de l'ennemi, qui trébuche. Le chevalier Gaspard en profite pour bondir sur lui et l'assommer.
Gaspard est très fâché : « Agathe, qu'as-tu fait de mon épée ? » rugit-il.

Le roi, qui a assisté au combat, intervient :
« Vous devriez plutôt remercier ma petite princesse de vous avoir sauvé ! »

À cet instant, il remarque l'objet que sa fille a lancé : oh ! c'est son précieux sceptre en or, et il est tout cassé ! Le roi est furieux, il est temps de punir cette enfant infernale ! Trop tard, Agathe a déjà filé. Elle se jure de ne plus recommencer. Enfin, elle va essayer…

Comme chaque soir, Émile le mille-pattes rentre à petits pas de sa promenade en forêt.
« Quel silence ! Parfait, je vais bien dormir », se réjouit-il.

Mais sur le grand chêne près de chez lui, pif, paf !
Brutor et Lutor les lucanes se battent à coups de pinces en criant : « C'est moi qu'elle aime !
– Non, c'est moi ! »
Tous deux ont la même amoureuse.
« Quel chahut ! » proteste Émile.

Puis, dans la clairière, il est bousculé par une bande de vers luisants qui volettent en tous sens, en hurlant :
« Je suis le plus beau !
– Je vole mieux que toi ! »
Tous font les fiers autour de Louisette, qui a mis sa jolie robe verte.
« Quels agités ! » grogne Émile.

De retour chez lui sous son caillou, il va se coucher
lorsqu'un grillon, perché sur son toit, se met à chanter :
« Ma chérie, lalalali, comme tu es jolie ! »
Émile en a assez de tous ces amoureux !
Furieux, il sort et lance une montagne de pantoufles
vers ce chanteur enquiquineur.

Hélas, l'une d'elles heurte Ogra, la mante religieuse, qui dormait au creux des herbes. Très contrariée, elle se précipite vers Émile pour le croquer, bloquant l'accès à son abri.
Vite, Émile s'enfuit. Mais dans la panique, il s'embrouille les pattes, dégringole jusqu'à la mare et s'empêtre dans la boue. Il est perdu !

Quand tout à coup, une petite voix claironne :
« Tenez, madame Ogra, j'ai un cadeau pour vous. »
Ravie, la mante religieuse accepte le bouquet qu'on lui tend : « Comme c'est charmant, merci ! »

Ouf, elle s’en va, calmée, Émile est sauvé. Sa sauveuse s’appelle Milena… et elle est belle comme mille étoiles. Émile est déjà fou d’elle…
Désormais, les deux amoureux font des claquettes toute la journée. Et tant pis pour ceux qui voudraient dormir !

école

Une école en caravane

Ce matin, c'est jour de classe à la « caravanécole ».
« Bonjour, avez-vous fait votre travail ?
demande le maître.
– Oui, dit Polo le petit clown. 1 tarte à la crème + 1 tarte à la crème = 2 tartes à la crème. »
Totor le dompteur ajoute : « 2 lions + 2 lions = 4 lions. »

Mais Lulu la petite jongleuse soupire :
« 3 balles + 3 balles + 3 balles = euh…
Oh, c'est vraiment trop dur !
– Pouvez-vous aider votre camarade ?
demande le maître. Je dois voir le directeur. »

Mais rien à faire, malgré les explications,
Lulu n'arrive pas à calculer !

« Ferme ton cahier et viens sur l'estrade », ordonne Polo.
Lulu s'installe, étonnée, sur la minuscule estrade de la caravane. Polo lui donne trois gommes.
« Bon, tu jongles avec les trois gommes, d'accord ?
On dirait que ce sont des balles !
– Oui, ça c'est facile, sourit Lulu.

– Maintenant, je te passe, au fur et à mesure, trois bâtonnets de colle !
– Si tu veux, accepte Lulu, très fière.
– Et le clou du spectacle, avec trois taille-crayons supplémentaires », hurle bien fort Totor.
Là, ça devient vraiment très difficile.

Le directeur et le maître ouvrent la porte, mais Lulu est tellement concentrée qu'elle ne les entend pas : elle est en train de jongler avec tous les objets.
Elle y arrive très bien !
À la fin, elle les rattrape un par un : … cinq, six, sept, huit, neuf !

« Neuf, c'est neuf ! s'exclame le directeur. Oh, Lulu ! Je cherche justement un numéro tout neuf. Et celui-ci est parfait pour le spectacle de ce soir. Veux-tu remplacer le cracheur de feu qui est malade ? »

Lulu est très heureuse en sortant de la « caravanécole » :
son maître lui a mis une bonne note et elle va exécuter
son numéro ce soir !
« En tout cas, moi, je sais que 1 ami + 1 ami + 1 ami,
ça fait une chouette bande de copains », dit-elle
en attrapant Polo et Totor par la main !

Quelle mauvaise surprise, ce matin, pour les lutins !
Pendant la nuit, une tempête a détruit tout ce qu'ils avaient préparé pour la Fête de la lune.
Le vieux chêne est tombé sur la piste de danse, le gâteau à la vanillette est écrasé, les instruments de musique et les lampions sont cassés !

Pipol est très contrarié.
« On n'arrivera jamais à tout réparer », grogne-t-il en allant chercher des outils à l'atelier.
En chemin, une bande de moustipiks papillonne autour de lui. Bzziii, ces petites bêtes s'amusent à le picoter et lui volent son bonnet. Le lutin furieux se lance à leur poursuite.

Soudain, près de l'étang, il aperçoit par terre
une baguette magique.
Aussitôt, Pipol a une idée : il décide de l'utiliser pour
se venger des moustipiks. Il ne sait pas comment
leur jeter un mauvais sort, mais ça ne doit pas être
compliqué !

« Euh, abraglagla ! » dit-il au hasard en dirigeant la baguette vers les insectes qui volettent de tous côtés. Mais erreur : il transforme l'étang en glace ! Il essaie encore : « Abrachofleur ! »… et il change l'eau de la cascade en chocolat, puis les joncs en muguets géants.

À cet instant, la petite fée Nini surgit.
« Oh, merci, tu as retrouvé ma baguette emportée par la tempête ! » se réjouit-elle.

Pipol la lui rend, honteux de ses bêtises. Lorsque tout à coup, il lui vient une nouvelle idée…
Ce soir, grâce à Pipol, la Fête de la lune est très réussie : les lutins ravis et la fée Nini dansent sur l'étang gelé, au son des clochettes des muguets, diling !

Ils se régalent de chocolat à la cascade. Et ils sont éclairés par une nuée de vers luisants : ce sont les moustipiks, que Nini a transformés pour la nuit !

« Lola, viens te coucher ! » appelle son papa, à l'entrée du terrier.
Lola la petite marmotte ne veut pas aller dormir. Dehors le jour est encore là, tous ses amis s'amusent dans la montagne. Dans le terrier, il fait tout sombre. Et Lola a peur du noir…

« Attends, papa, je joue avec Julie », crie Lola. Elle saute quelques mètres derrière son amie la grenouille, hop ! par-dessus les cailloux, hop ! par-dessus le chardon, hop ! par-dessus la petite flaque, hop !

« Papa, est-ce que Julie peut venir dormir à la maison ?
Tu sais bien que j'ai peur toute seule dans le noir,
demande Lola.
– Non, répond papa, vous êtes trop agitées.
Viens te coucher. »

Lola se sauve un peu plus loin. Elle se cogne contre Tommy l'ourson qui dort sous un sapin.
Elle escalade la fourrure douce et fait une galipette sur son dos. Youpi !

« Papa, est-ce que Tommy peut venir dormir à la maison ? crie Lola. J'aurai moins peur du noir avec lui.
– Non, répond papa, Tommy est trop gros pour entrer dans notre terrier. Maintenant viens te coucher. »

Lola est toute seule dans son lit. Il fait tout noir.
La petite marmotte voudrait bien avoir un ami avec elle,
ou une toute petite lumière…

Un insecte s'approche doucement.
« Qui es-tu ? demande Lola. Si mon papa te voit, il va se fâcher…
– Au contraire, c'est lui qui m'a dit de venir.
Je suis Luciole le ver luisant. Regarde… »
Et en disant ces mots, Luciole allume la petite ampoule qui est au bout de son ventre.
Lola est ravie : la petite lumière est toute douce et Luciole est très gentil.
Elle se blottit contre lui, mais chut… elle s'est endormie.
Demain, c'est sûr, Lola n'aura plus peur de la nuit !

Chocolat le petit chien

Au Pays des Chiens, il y a des chiens de berger, des chiens sauveteurs, des chiens de chasse… Chacun son métier !
Dans la famille de Chocolat, un adorable chiot au pelage marron, les chiens sont tous policiers.

Mais Chocolat, lui, n'aime pas courir après les chiens sans collier ou suivre les traces des voleurs de croquettes. Ce matin, un appel de détresse est envoyé à la caserne. Le Capitaine Flair, le papa de Chocolat, regarde autour de lui. Tous ses fils sont déjà partis en mission ! Tous ?

Non ! Son petit dernier, la casquette sur la truffe,
est caché sous le bureau.
« Suis-moi, Chocolat ! Madame Caramel, la pâtissière,
a été cambriolée ! »
Quelques minutes plus tard, les deux policiers arrivent
dans la boutique.

« On a volé tous mes gâteaux ! » pleure madame Caramel.
Chocolat a la queue qui frétille.
Cet endroit est merveilleux !
Et tous ces ustensiles ! Comme ils sont drôles !
« Mmm ! Quelles bonnes odeurs !
Papa, je peux rester un peu ici, s'il te plaît ?

– D’accord. Je me charge de renifler la piste »,
dit le Capitaine Flair.
Et hop ! Il file à toute allure et surprend au fond
d’une impasse deux bouledogues prêts à engloutir
les gâteaux volés.
« Police ! Pattes en l’air, les gloutons !
Direction la caserne ! »

À la fin de la journée, le Capitaine Flair revient chercher son fils chez madame Caramel.
Il découvre alors Chocolat, une toque à la place de sa casquette, occupé à vendre des macarons.

« Je vous présente mon nouveau marmiton !
Chocolat m'a aidé à fabriquer tous ces beaux gâteaux.
Il est vraiment doué ! » s'écrie madame Caramel.
Ainsi, pour la première fois au Pays des Chiens,
un chien policier devint… un chien pâtissier !

Une nuit sans Dodokali

Le soleil se couche sur la savane.
C'est l'heure d'aller dormir pour le petit prince Tongaï.
Accompagné de Nabila, sa nounou, il traverse l'immense palais en gambadant.
Au passage, il taquine les gardes en jouant du tam-tam sur leurs boucliers.

Mais une fois dans sa chambre, Tongaï est surpris : son Dodokali n'est pas dans son lit !
D'habitude, son petit animal tout doux est sur son oreiller et l'attend.
« Où es-tu passé ? Tu t'es caché ? » demande le prince amusé.

Mais Tongaï et Nabila ont beau chercher parmi la montagne de jouets, Dodokali est introuvable.
« On me l'a volé ! rugit le prince. Je veux qu'on le retrouve ! Je ne peux pas dormir sans lui. »
Aussitôt la reine fait fouiller entièrement le palais. Hélas, Dodokali a disparu.

« Peut-être est-il parti se promener ou croquer des fruits ? » suggère Nabila.
Du haut de la terrasse, tous deux examinent les alentours du palais. La nuit est sombre et le ciel étoilé est immense.
Comme Tongaï se sent triste tout à coup !
Des larmes picotent ses yeux.

Pour l'apaiser, Nabila lui raconte son histoire préférée… quand soudain une lionne surgit à leurs pieds.
« Ne tremblez pas, murmure le fauve. Je viens vous avertir que Dodokali s'est réfugié chez moi, tout chagriné. Il en a assez que le prince l'oublie toute la journée seul dans la chambre et ne s'intéresse à lui que pour s'endormir. »

Ouf, Tongaï est soulagé : Dodokali a été retrouvé !
Depuis ce jour, le petit prince le promène partout avec lui et le couvre de câlins.
Et le soir Dodokali, ravi, couché tout doux contre sa joue, l'aide à s'endormir…

Ombeline, princesse à cheval

« Non, je ne veux pas apprendre les bonnes manières ! » hurle Ombeline à Dame Julia, sa maman. Elle claque la porte et s'enfuit dans sa chambre. Par la fenêtre, elle observe son frère, le prince Thibault, qui s'entraîne à monter à cheval pour le tournoi.

Thibault n'est vraiment pas doué : il trouve son épée trop lourde, son heaume trop grand et son cheval idiot. Ce qu'il aime, c'est composer des poèmes.

Un matin, Thibault cherche partout son armure quand il tombe sur un chevalier qui a enfilé son équipement.
« Au voleur ! crie Thibault.

– Chut, c'est moi, Ombeline. Laisse-moi prendre ta place. Personne n'y verra rien, et toi, tu auras du temps pour la poésie… »
Thibault hésite, mais le maître écuyer approche. « En selle ! » dit-il à Ombeline, pendant que Thibault se cache dans la paille.

Ombeline est brillante : elle apprend vite à monter à cheval, à manier une épée, à renverser son adversaire. De son côté, caché dans la plus haute tour, Thibault écrit un magnifique poème et s'entraîne à jouer de la harpe pour s'accompagner.
Parfois, il entend Dame Julia appeler : « Ombeline, où êtes-vous encore passée ? »

Le jour du tournoi, le roi est intrigué : qui est ce chevalier qui remporte tous ses combats ?
Quand on le déclare vainqueur, le mystérieux chevalier ôte son casque : de belles boucles blondes tombent autour de son visage.
C'est Ombeline !
Le roi se lève, mais il n'a pas le temps de s'énerver : un troubadour vient chanter un poème à la reine.
Quand il a fini, il s'incline et enlève sa coiffe.
C'est Thibault !

Le roi n'est pas content du tout, mais la foule porte les enfants en triomphe !
Alors le roi, attendri, entonne le refrain du baladin :
« Qu'il est doux de faire ce que l'on aime, et de le faire bien… »

Le soir, devant la cheminée, le roi déclare :
« Ma chère reine, je n'ai jamais osé vous le demander :
pourriez-vous m'apprendre à tricoter ? »
Depuis ce jour, le roi et la reine ne sortent jamais
sans leur écharpe rayée en laine tricotée !

Le lion qui n'avait pas d'amis

Dans la jungle, Léon le lion n'a pas d'amis.
Pourtant, il adore jouer !
Dès qu'il s'approche, les zèbres s'enfuient à toutes pattes et les perroquets volent à tire-d'aile. Cet après-midi-là, sur une branche de bananier, le singe Ouistiti observe Léon qui fait des grimaces à son reflet dans l'eau d'une mare.

« Hi hi hi ! Il est rigolo, ce lion ! »
Et zou, Ouistiti attrape une liane et vient se balancer au ras de sa crinière.
« Bonjour, je m'appelle Ouistiti ! J'adore tes grimaces ! »
Léon n'en revient pas de voir un singe gesticuler devant lui.
« Euh, bonjour ! »

Le lion bâille pour montrer ses dents pointues.
Mais, à sa grande surprise, le singe n'a toujours pas pris ses jambes à son cou.
Léon finit par demander : « Tu n'as pas peur de moi ?
– Non, pourquoi ? Tu as l'air très gentil.
Je suis clown au cirque Savana, tu connais ?
J'ai besoin d'un partenaire et je suis sûr que tu serais parfait ! » dit Ouistiti.

Léon sent son cœur gonfler de bonheur.
Mais il réfléchit et secoue la tête, tristement :
« C'est impossible ! Je ferais fuir tous les spectateurs ! »
Ouistiti éclate de rire : « Un clown ne fait jamais de numéro sans son déguisement !
Personne ne te reconnaîtra, fais-moi confiance ! »

Quelques jours plus tard, Léon et Ouistiti arrivent sur la piste du cirque Savana.
La crinière recouverte de grelots et de rubans, un nez rouge sur le museau, Léon pose une pomme sur sa tête.
Ouistiti recule avec un arc et des flèches.
Il va tenter de transpercer le fruit, mais… trop tard, Léon l'a déjà croqué !

Le singe réessaie avec un ananas, mais le lion est un vrai glouton : il l'avale en une bouchée ! Tous les spectateurs rient et applaudissent. Ouistiti prend la parole, et Léon retire son déguisement.
« Je vous présente Léon ! N'ayez pas peur de lui serrer la patte, c'est un lion qui ne croque que des fruits ! »
Désormais, dans la jungle, tout le monde reconnaît Léon, et il a plein d'amis !

Une étrange disparition

Bibop l'abeille et Cha-Cha la chenille sont les meilleures amies du monde. Chaque après-midi, elles adorent se retrouver au Square Fleuri. Elles dansent ensemble au son des bzz bzz de Bibop. Avec toutes ses paires de pieds, Cha-Cha est infatigable !

Mais voilà qu'un beau jour Cha-Cha ne vient pas au rendez-vous. Bibop rentre chez elle, déçue et inquiète. Le lendemain, la chenille ne se montre toujours pas. « Cha-Cha a disparu ! se lamente Bibop auprès d'Hubert la sauterelle.

– Va donc faire un tour du côté de l'Arbre Creux.
Elle aime s'endormir là-bas, le soir ! »
Bibop vole aussi vite qu'elle peut et fait une horrible découverte dans l'une des cavités du tronc.
« Une toile d'araignée ! »

Ses cris ont alerté une grosse araignée aux pattes poilues.
« Bonjour, l'abeille. Cela te tente de me voir broder ? »
Bibop est sûre que Cha-Cha est prisonnière de cette méchante créature. Vite, elle la bombarde de boules de pollen qu'elle garde toujours en réserve dans son sac à dos.

«Tu as déchiré ma broderie!» crie l'araignée, furieuse, en s'échappant avec ses bouts de fil. Bibop se précipite à l'intérieur de l'arbre. Elle se cogne contre un paquet blanc qu'elle prend pour une bobine de fil de l'araignée, quand elle entend une voix.

« Qui ose bousculer mon cocon de cette façon ?
– Cha-Cha ? C'est toi ? »
À cet instant, le cocon se déchire et un magnifique papillon déploie ses ailes multicolores !
« Bonjour, Bibop !
– Comme tu as changé ! Je croyais que l'araignée t'avait dévorée ! »

Cha-Cha éclate de rire.
« Il me fallait juste un peu de temps pour me transformer ! Ah, je suis si contente d'avoir des ailes ! »
Désormais, chaque après-midi, on peut voir Cha-Cha et Bibop danser, mais aussi voler ensemble, très haut dans le ciel !

Lilas-Rose était une jolie fée douce et gentille que tout le monde aimait.
Tout le monde ? Non, pas tout à fait.
La fée Pissenlit, jalouse de sa beauté, décida un jour de lui jouer un vilain tour. Pendant que Lilas-Rose cueillait des fleurs dans la forêt, Pissenlit lui vola sa baguette magique et rendit la petite fée aussi petite qu'une souris.

Au milieu des herbes et des champignons, Lilas-Rose était complètement perdue.
« À l'aide ! Quelqu'un aurait-il vu ma baguette ? » criait-elle.
Soudain, un lutin espiègle apparut.
« Bonjour, Lilas-Rose ! Que t'arrive-t-il ?
– Tu connais mon nom ? demanda, étonnée, la jolie fée.
– Bien sûr ! Je m'appelle Filou. Personne ne fait attention à moi, mais je t'observe souvent dans ton atelier. Et puis, j'adore dormir au milieu des coussins de ton canapé.
Tu n'es pas fâchée ? »

Lilas-Rose poussa un gros soupir de soulagement.
« Oh non, pas du tout ! Tu vas pouvoir me rendre un grand service. Mon ancienne baguette est cachée dans mon coffre à magie, dans la cuisine. Tu trouveras la clé…
– Sous le canapé, je sais ! »

Et pfft ! Filou disparut. Il se glissa comme d'habitude par le trou de la porte d'entrée de Lilas-Rose, et prit la clé. Après une escalade le long du coffre, Filou réussit enfin à ouvrir la serrure.

Oh, non ! L'horrible fée Pissenlit apparut devant lui dans un nuage de fumée noire.
« Donne-moi tout de suite cette baguette ! » ordonna-t-elle.
Le brave petit lutin se souvint alors d'une formule prononcée par Lilas-Rose dans son atelier. Il la répéta à toute allure, la baguette à la main : « Hocus, pocus, statutus ! »
Pissenlit se transforma aussitôt en statue de pierre.
« Bon débarras ! »

Grâce à Filou, en deux coups de baguette, Lilas-Rose redevint une grande et belle jeune fille.
Depuis ce jour, le lutin n'eut plus besoin de se cacher. Il devint l'assistant personnel de la plus gentille des fées et la protégea de tous les mauvais sorts !

Une poupée au pays des garçons

Ce matin-là, Émilie la poupée est réveillée par un bruit strident : « Alerte ! Objet non identifié ! »
Un robot gris aux yeux lumineux tourne autour d'elle comme un aspirateur.
Émilie réalise alors qu'elle n'est pas dans son lit en bois rose, mais sur une horrible couette couverte de dinosaures !

« Au secours ! Où suis-je ?
– Toi être en sécurité dans chambre de Nicolas ! dit le robot. Il a emporté toi pour faire farce à sa sœur. Terminé.
– Je dois retourner dans ma chambre. Clara va s'inquiéter ! Et la porte est fermée ! s'affole Émilie.

– Quelqu'un a appelé à l'aide ? »
Bing, bang, Superzozo saute du haut de la commode et atterrit sur une pile de cubes.
« Ouille ! Je suis ton, aïe, super-héros, belle demoiselle, dit-il en tombant sur les fesses. Accroche-toi à ma cape, nous allons nous envoler jusqu'à la poignée de la porte ! »

Émilie sur son dos, Superzozo prend son élan.
1, 2, 3, catastrophe ! Le super-héros ne vole pas du tout et il s'étale de tout son long sur la moquette.
Crac ! La cape se déchire ! Émilie se retrouve assise sur le train électrique qui se met en marche brusquement.

Heureusement, neuf chevaliers arrivent sur leurs mini-chevaux et parviennent à stopper le train. « Sauver les princesses, c'est notre spécialité ! affirme le roi Arthur. Nous allons faire glisser notre château en bois jusqu'à la porte. Il vous suffira de grimper sur la plus haute tour pour l'ouvrir ! »

Ho ! hisse ! les chevaliers poussent de toutes leurs forces sur les murs du château, mais patatras, tout s'écroule !
« J'entends du bruit dans le couloir ! » prévient Superzozo.
La poignée s'abaisse et la porte s'ouvre…
« Voilà Mistigri ! s'écrie Émilie. Vite, elle s'agrippe aux poils du matou pour qu'il la ramène dans sa chambre.

Elle envoie un baiser à tous les jouets de Nicolas.
« Au revoir, les amis ! Venez me rendre visite !
Nous organiserons un grand bal avec Miss Fantastique
et les neuf princesses de ma chambre !
– Waouh ! Miss Fantastique ! s'exclame Superzozo.
Dis, roi Arthur, tu pourras m'apprendre à danser ? »

Bulle adore jouer. La petite baleine s'amuse beaucoup à bondir hors de l'eau et à retomber, splash ! Et puis cela fait de belles vagues qui roulent jusqu'à la plage. Les poissons, eux, rouspètent chaque fois : « Arrête, on est si secoués qu'on a le mal de mer ! »

Bulle aime aussi faire la course avec les dauphins.
Souvent, elle renverse au passage la tortue marine
qui se balade paisiblement au large.
Celle-ci proteste : « Tu m'embêtes ! »
Mais Bulle rit, c'est si amusant !

Son jeu préféré, c'est de souffler des jets d'eau très haut vers les nuages. Le jour, cela éclabousse la mouette qui fait la sieste sur son rocher. Et la nuit, cela fait rire aux éclats une petite étoile qui s'agite dans le ciel : celle-ci adore danser et émerveille les habitants de la mer.

Un jour pourtant, les animaux en
ont assez. Ils se fâchent très fort contre Bulle :
« Maintenant, ça suffit !
– Si tu veux jouer, va-t'en loin là-bas, près de l'île
déserte. »
Bulle est très contrariée, elle s'en va bouder :
« Quels grognons, ils ne savent pas s'amuser ! »

Mais voilà que pendant la nuit la petite étoile
se décroche du ciel en jouant trop fort à se balancer.
Elle dégringole et plouf ! coule au fond de la mer.
« Glouglou, à l'aide ! » gémit-elle.

Aussitôt, Bulle s'élance à son secours.
D'un puissant coup de queue, elle plonge à toute allure.
Elle récupère l'étoile, saute d'un grand bond hors de l'eau
et souffle si fort qu'elle la projette jusqu'au ciel.
L'étoile est sauvée et clignote là-haut pour la remercier.
Désormais, la petite baleine sauveteuse est la vedette
de la mer. Et tout le monde veut jouer avec elle !

Le bébé dragon

Au cœur de la forêt, Prince Loup et Princesse Hermine
soignent et nourrissent dans leur château
tous les animaux perdus.
Un beau jour, ils découvrent dans les douves
un gros œuf jaune à pois verts.

Le prince et la princesse le confient aux poules et,
un beau matin, cric crac, la coquille se fissure.
Une tête aux oreilles pointues et à la peau verte couverte
d’écailles apparaît. Deux ailes, une longue queue :
cet étrange animal est…
« Un bébé dragon ! » s’exclame Prince Loup.

Princesse Hermine le prend dans ses bras.
« Comme il est mignon ! Loup, va chercher du lait à la cuisine. Petit dragon, tu t'appelleras Dragonou ! »
Dans le donjon, la princesse installe son nouveau protégé dans un beau panier et lui confectionne un doudou vert, comme lui !

Très vite, Dragonou se met à jouer avec les autres animaux. Il apprend à se servir de ses ailes et gagne chaque fois les parties de chat perché !
Princesse Hermine se demande pourquoi Prince Loup est inquiet.
« À deux mois, Dragonou est déjà aussi grand que moi !

Un dragon n'est pas fait pour vivre dans un château. Tu as vu comme il crache du feu !
– Oh oui, c'est drôle ! rit la princesse. Je l'ai chargé d'allumer toutes les cheminées ! »
Semaine après semaine, Dragonou grandit et occupe bientôt à lui tout seul toute la cour du château.

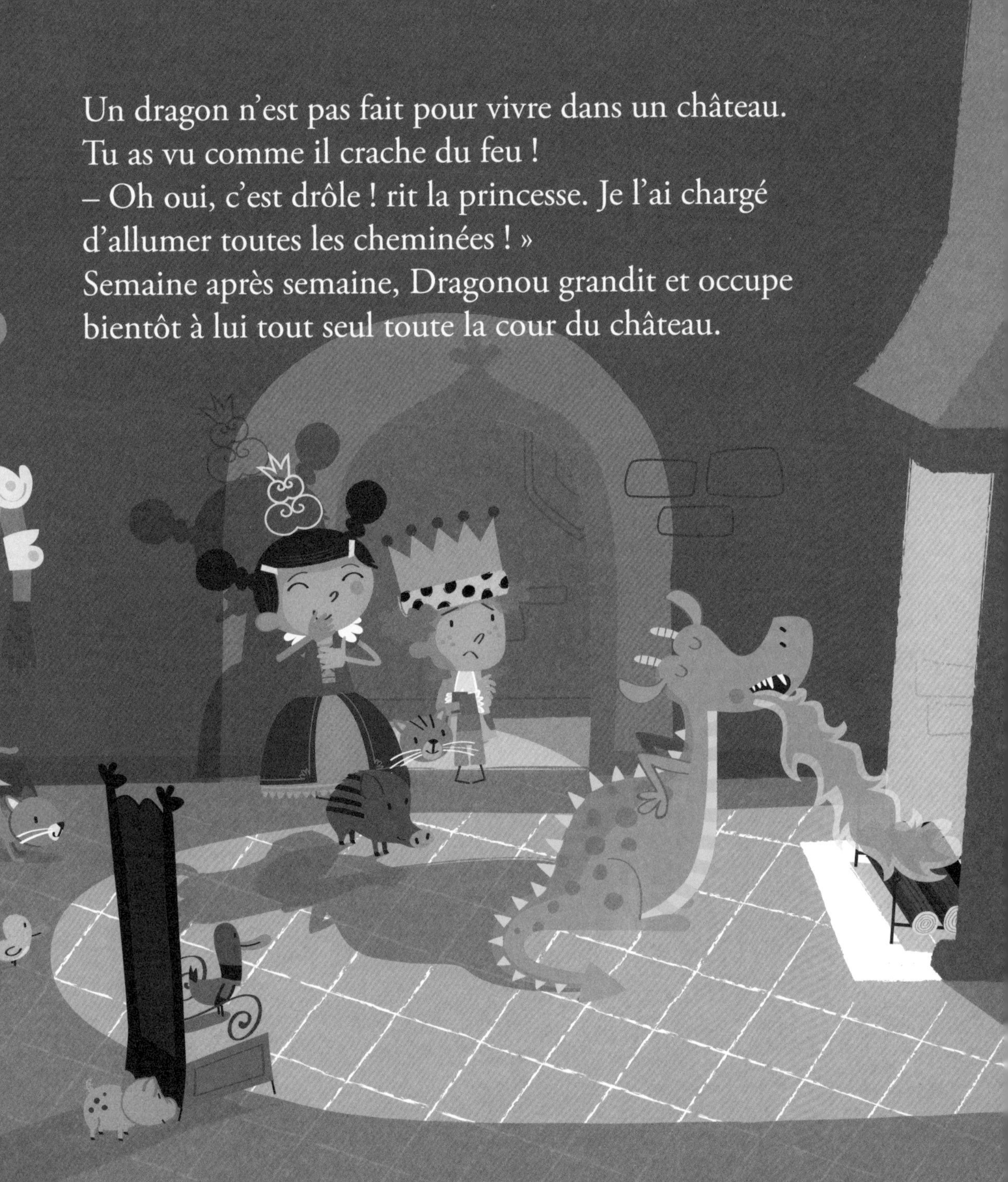

Un matin, Prince Loup aperçoit dans le ciel
un dragon rouge.
« Dragonou, il est temps de rejoindre tes frères
au pays des dragons », dit-il.

Princesse Hermine pleure à chaudes larmes et caresse une dernière fois les écailles de son dragon avant qu'il s'envole.
Mais très vite, elle se console en découvrant que désormais, chaque matin d'hiver, Dragonou vole au-dessus du château et crache du feu pour allumer les cheminées !

La formule anti-cauchemars

La nuit est sombre, au cœur de la forêt. Comme tous les soirs, dans la chaumière, Aurore se recroqueville au fond de son lit. Elle déteste ce moment où elle doit s'endormir.
Ses parents ont beau lui faire mille câlins pour la rassurer, Aurore a peur de faire des cauchemars.

Hier, elle a rêvé qu'une vilaine sorcière la transformait en statue de glace.
Cette nuit-là, elle rêve qu'une araignée géante se faufile par la cheminée !

Elle se réveille en sursaut. Dehors, le vent souffle fort et la pluie fouette les carreaux. Soudain, sous le grand chêne, Aurore aperçoit un lutin tout grelottant.

« Ohé ! Entrez vous réchauffer, lui crie-t-elle.

– Ça, c'est gentil, dit le lutin. Mais pourquoi ne dors-tu pas ?

– J'ai encore fait un cauchemar, avoue Aurore.

– Vraiment ? Tiens, pour te remercier, je te confie ma formule magique anti-cauchemars : “Akabi bakaba, cauchemi-cauchema, vatenti vatenla !” »
Aurore est ravie : grâce au lutin, la voilà rassurée, elle peut enfin s’endormir.
Hélas, la nuit suivante, elle ne se rappelle plus la fameuse formule. Et le lutin a disparu.

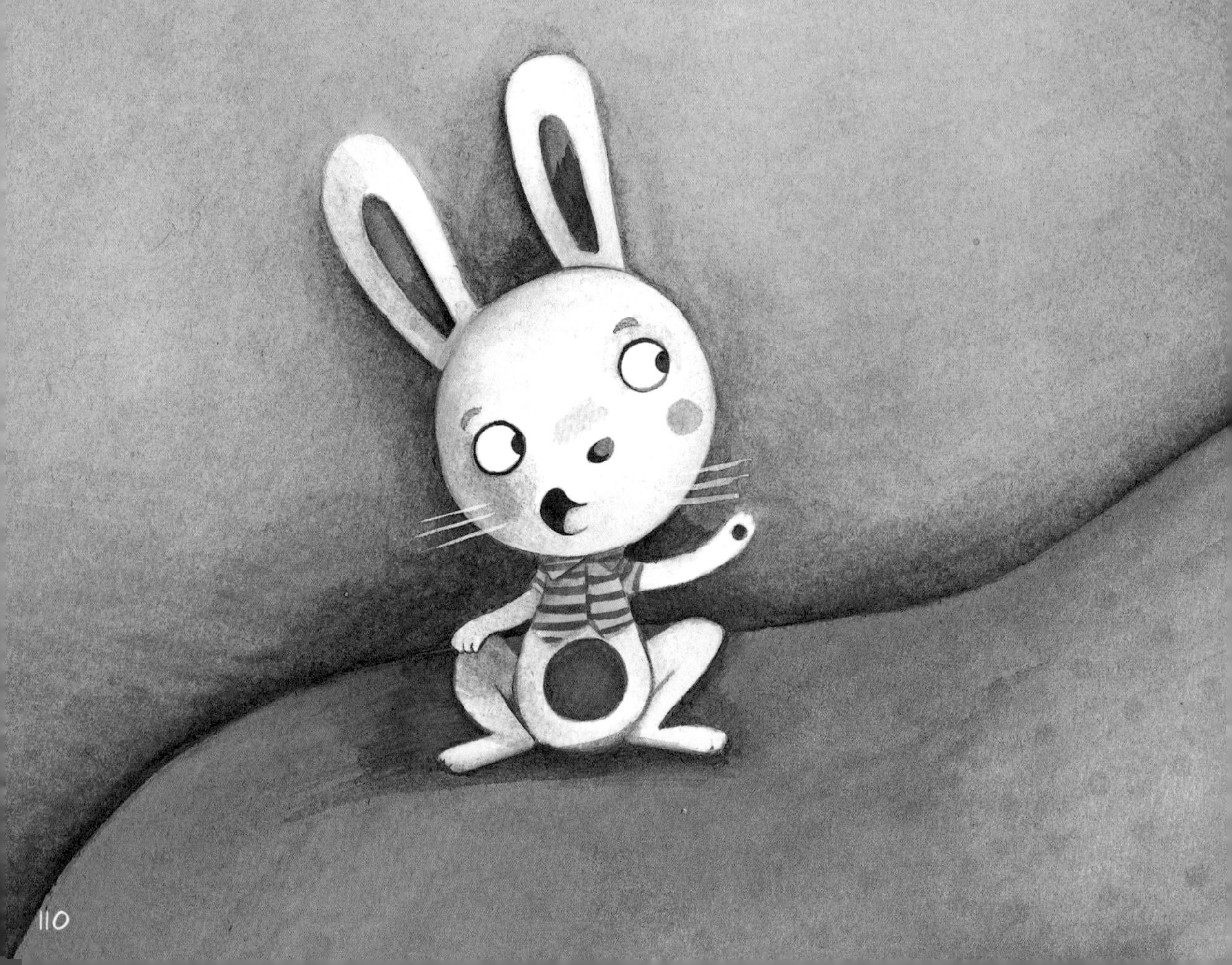

La fillette est catastrophée. Quand tout à coup, quelque chose remue derrière sa malle à habits.
Un petit lapin des bois surgit.
« Je suis désolé de t'avoir effrayée, chuchote-t-il.
Hier, je suis entré par la cheminée pour me protéger de la pluie. Et j'ai entendu le lutin. Je peux t'aider, je me rappelle très bien la formule. »

Et il la récite aussitôt :
« “Akabi bakaba, cauchemi-cauchema, vatenti vatenla !”
Dis, je peux dormir avec toi ?
J’ai un peu peur tout seul. »
La nuit est calme, au cœur de la forêt.
À partir de ce soir-là, Aurore fait de très beaux rêves…
et le lapin aussi.

Aujourd'hui, Lulu le ver de terre est passé devant la vitrine d'un grand magasin.

« Maman, pourquoi je n'ai pas une garde-robe à la mode, moi ? Je n'aime plus être tout nu ! déclare Lulu en rentrant chez lui.

– Tu voudrais avoir des vêtements ? demande sa maman.

– Oui, des tas d'habits ! »

Le lendemain, Lulu sort de la maison avec
une magnifique polaire rayée, qui l'enveloppe de la tête
aux pieds. Lulu est très content, tout le monde le trouve
magnifique. Mais il a trop chaud, il transpire, il étouffe!
Finalement, Lulu enlève son pull pour escalader
un rocher.

« Maman, merci pour la polaire, déclare-t-il en rentrant.
Je crois que ça fera un joli tapis. »

Quelques jours plus tard, Lulu arrive au square avec une casquette et un maillot de footballeur. Ses copains lui tournent autour pour l'admirer mais, quand la partie commence, Lulu est bien embarrassé : la casquette lui glisse sur les yeux, le maillot s'accroche dans l'herbe et il manque trois fois le ballon. Finalement, Lulu enlève ses nouveaux habits et marque un but ! Hourra !

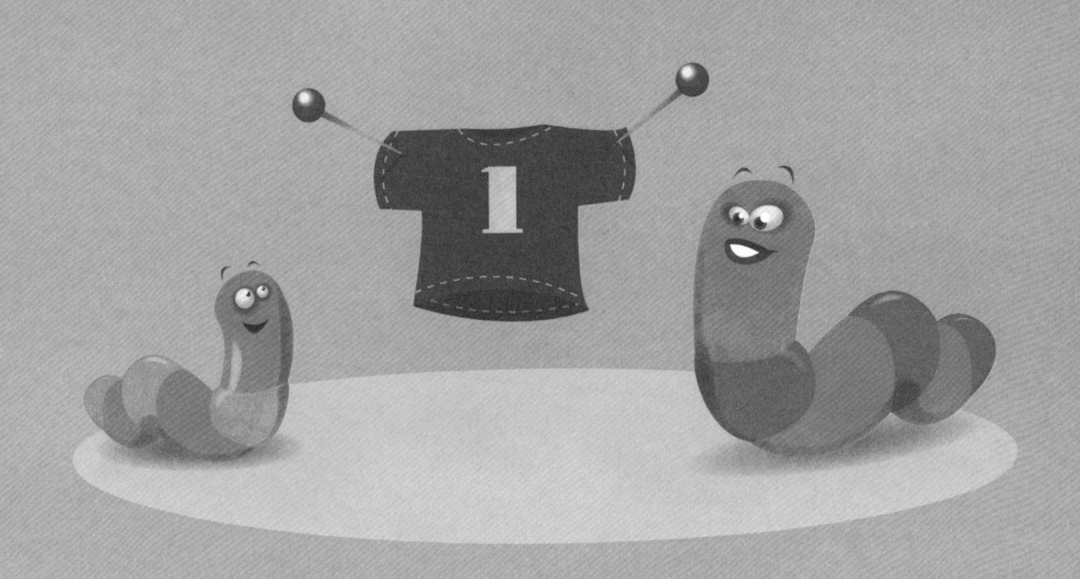

« Merci pour la tenue de footballeur, maman, dit-il en rentrant. Je crois que je vais plutôt l'accrocher dans ma chambre en décoration. »

Comme aucune tenue ne semble lui convenir, la maman de Lulu décide de lui faire une surprise.
Quand le petit ver se réveille, il est épaté : sa nouvelle tenue est de toutes les couleurs.
Sur le court de tennis, tous ses amis veulent être dans son équipe ! Le match commence et Lulu étonne tout le monde par sa rapidité. Mais bientôt il pleut, et Lulu laisse une drôle de trace derrière lui… Son vêtement a fondu…

« Ton maquillage était vraiment super-beau, dit Lulu en embrassant sa maman. Mais tu sais, je peux sortir tout nu. Finalement, c'est ça, ma mode à moi ! »

Le Sultan Zâfir est bien décidé : il veut avoir
un magnifique palais, le sien ne lui plaît plus.
Il réunit une foule d'architectes et de savants venus
de tout le pays, et même d'au-delà les océans.

« Mesdames et messieurs, j'attends vos idées, annonce le sultan. J'offrirai au meilleur d'entre vous une montagne de diamants. »
Les invités s'enferment dans le salon doré pour réfléchir. Bientôt l'un d'eux propose à Zâfir un palais en forme de dromadaire.

Un autre lui montre les plans d'un château flottant.
Une jeune savante imagine un palais sous-marin.
« Amusant, mais tout cela ne me plaît pas »,
soupire le sultan.
Et, contrarié, il commence à bouder.

Le soir, un grand dîner est organisé en l'honneur des invités.
Salim, le jeune cuisinier, est très impressionné par tous ces savants si importants.
« Que faire pour leur plaire ? » s'inquiète-t-il.
Hélas, il est si intimidé qu'il se trompe dans ses recettes : le rôti aux épices est brûlé, les cornettes à la menthe sont dégoulinantes !

Le sultan est vert de colère.
« Si tu rates le dessert, peste-t-il, je te jette dans la fosse aux serpents chatouilleurs ! »
Malheureusement, Salim tremble tant qu'il renverse tout le sac de levure dans sa préparation.

Son youyou aux amandes se met à gonfler, gonfler…
Il jaillit de la cuisine, renverse le sultan et tous les savants.
Il fait éclater les murs du palais et gonfle encore.
Le voilà gigantesque !
Quelle catastrophe, Salim voudrait disparaître.
Mais soudain le sultan se relève et s'écrie, ravi :
« Hé hé, le voici, mon palais extraordinaire : un gâteau géant ! Merci, Salim ! »

C'est un grand jour pour Jasmin. Pour la première fois,
ses compagnons lui ont confié la garde du trésor.
Chut, il est caché dans un creux, au fond de la grotte
où habitent les lutins des bois…
Voilà des heures que tous sont partis cueillir
des champignons. Jasmin trouve le temps long.

« Je parie qu'ils sont allés s'amuser dans la cascade sucrée, rouspète-t-il. Et moi alors ? »
Après tout, il peut bien quitter son poste un instant pour aller prendre son troisième goûter !
Hop, en trois bonds il escalade l'arbre à myrtillons et se régale de ses délicieux fruits.
Soudain, il entend des appels au secours du côté de la cascade.

« Oh, mes compagnons sont attaqués par des champignons mignons ! »
En effet, ceux-ci encerclent ses amis et tentent de les assommer en bondissant sur eux.
Ces gros champignons n'aiment pas être cueillis.

« Et de plus, songe Jasmin, ces coquets détestent être salis... »
Il a une idée. Vite, il remplit ses poches de myrtillons, descend de l'arbre et s'approche discrètement.

Splash ! il en bombarde les champignons qui, tout dégoulinants, sautent dans la cascade pour se nettoyer, oubliant leurs prisonniers.
« Jasmin, tu es notre héros ! » s'écrient ses amis, soulagés.

Mais de retour à la grotte, Jasmin est moins fier de lui : le coffre au trésor a disparu ! Pendant son absence, les lutins des greniers, leurs ennemis jurés, l'ont volé. La preuve : ils ont perdu un bonnet.
Jasmin a envie de pleurer.

«Tout va bien, assure Bleuet. Ils ont emporté un faux trésor. Regarde : j'avais caché le vrai sous mon matelas.
– Tu es tellement gourmand que l'on se doutait que tu aurais du mal à remplir ta mission, ajoute Lilas en riant. Mais pour te remercier de nous avoir sauvés, nous te nommons cueilleur en chef de myrtillons ! »

C'est long, l'hiver ! Voilà des jours et des nuits que Picoti se tient dans son abri.
Les autres hérissons ont insisté : « Tu dois rester là et dormir pendant quatre mois. Et surtout ne sors pas, c'est dangereux. »
Mais chez lui, c'est tout petit : un étroit nid de feuilles creusé sous un buisson.

Tout seul, le jeune Picoti s'ennuie. Et pas moyen de dormir.
« Tant pis, décide-t-il, je vais faire un tour.
Je n'ai pas peur de l'hiver, moi ! »
Quel silence dans le petit bois et quel froid !
Les arbres sont tout nus et le sol est glacé sous ses pattes.
Picoti trottine longtemps, sans rencontrer personne.
Zut, pas la moindre chenille à manger.
Il ne déniche que des noisettes sous une souche,
et il n'aime pas ça.

Soudain, un renard surgit.
« Miam, tu m'as l'air dodu,
s'écrie celui-ci. Je vais te croquer ! »
Terrifié, Picoti s'enfuit, mais il glisse
dans un trou profond.
Le renard se précipite. Horreur, même si Picoti hérisse
ses piquants, il se fera manger : son ennemi n'a pas peur
de lui !

Tout à coup, une pluie de pommes de pin et de petites branches s'abat sur le renard. Il en reçoit tellement qu'il s'effondre, assommé.

Un écureuil descend alors de l’arbre en trois bonds légers.
« Ce jeu m’a ouvert l’appétit ! dit-il.
Dommage que je ne retrouve plus ma réserve de noisettes. »
Aussitôt, Picoti le mène à la souche.
Quel festin pour Pilou l’écureuil ! Picoti, quant à lui,
déguste un ver de terre.

Maintenant, le soir tombe et la neige voltige.
Picoti a envie de rentrer chez lui. Il invite Pilou.
Les voilà tous deux bien au chaud, dans son nid.
Picoti est ravi : avec son nouvel ami, adieu l'ennui !

Guillaume et la fleur d'étoile

Isaure la reine est bien malade. Le roi Gontran fait venir à son chevet les meilleurs médecins du royaume :
« Mon roi, il faut à votre dame un pétale de fleur d'étoile. »

Aussitôt, tous les chevaliers partent à la recherche de la fleur. Guillaume, le plus jeune, ne remarque pas une minuscule chauve-souris verte, qui se niche sous son casque.

« Pour trouver la fleur d'étoile, la sorcière t'aidera. »
Guillaume entend une toute petite voix. Qui parle ?
Il sait où habite la sorcière, alors il s'enfonce dans
la forêt. Maléfia est en train de réparer son toit.
« Laisse-moi faire, vieille sorcière, j'ai de bons bras »,
dit Guillaume en descendant de sa monture.

Maléfia est surprise, personne ne lui a jamais proposé d'aide !
« Accepte donc cela », dit-elle à Guillaume en lui tendant un mouchoir rouge pas très propre.
Guillaume remercie et continue son chemin.

« Pour trouver la fleur d'étoile, la montagne tu escaladeras », reprend la petite voix. Guillaume galope jusqu'au pied de la montagne. Il commence à grimper par un sentier difficile, mais sa jument se blesse. Guillaume sort le mouchoir rouge de la sorcière et soigne la blessure. Aussitôt le chevalier et sa jument sont transportés au sommet de la montagne.

Guillaume est tout étourdi.
Tiens, une petite chauve-souris verte attire son attention : elle est en train de cueillir un pétale d'une fleur en forme d'étoile.
« Un edelweiss, j'aurais dû y penser », sourit Guillaume.

Dans le château, le roi est désespéré. À part Guillaume, tous les chevaliers sont rentrés et ils n'ont rien trouvé. Soudain, une chauve-souris verte vole à travers la pièce et laisse tomber un pétale dans le verre de la reine. Le roi fait boire son épouse… et voilà qu'elle se réveille et demande à dîner !

« *Pour me remercier, une bise vous me donnerez* », ajoute la petite chauve-souris verte au retour de Guillaume.
Le chevalier est un peu gêné, mais son amie a bien travaillé.
Il l'embrasse et… une belle princesse apparaît :
« Merci, Guillaume, la sorcière m'avait transformée.
Veux-tu m'épouser ? »
Et en l'honneur de leur exploit, on fêta longtemps les noces du chevalier Guillaume et de la princesse, qu'il appelle avec tendresse « ma petite souris verte » !

Lulle, la petite libellule, part se promener.
Sur son chemin, elle rencontre une petite abeille qui transporte deux seaux remplis de poudre jaune.
Lulle lui demande ce qu'elle fait.
« Je rapporte du pollen à la ruche, lui explique la petite abeille. Nous, les abeilles, nous fabriquons du miel. »
Lulle reprend son chemin.

Sur sa route, elle aperçoit un criquet en tenue de soirée.
Lulle se pose à son côté et lui demande où il va.
« Je me rends à un concert, lui annonce le criquet.
Nous, les criquets, sommes de grands musiciens. »

Aussitôt le petit insecte se met à chanter. Lulle est subjuguée. Son chant est merveilleux et lui rappelle les belles nuits d'été. Lulle repart.

Près d'un arbre, elle croise une araignée qui agite ses huit pattes dans tous les sens. Lulle lui demande ce qu'elle fabrique.
« Je tisse une toile, lui indique l'araignée. Nous, les araignées, produisons de la soie. »

Arrivée près de l'étang, Lulle est un peu triste. Tous les animaux qu'elle a croisés possèdent un don particulier. Seule Lulle ne sait rien faire. Elle se pose délicatement sur une feuille rose pour réfléchir.

Soudain la feuille se soulève dans les airs. Lulle s'est trompée. Ce n'est pas une feuille mais la main d'une petite fille. Elle n'ose plus bouger.
« Regarde, maman ! dit la petite fille. Une libellule.
– Elle est ravissante ! s'exclame sa maman. Les libellules m'ont toujours fait rêver. »
Rassurée, Lulle s'envole vers un nénuphar. Elle est ravie. Elle aussi a un don extraordinaire. Celui de faire rêver !

Dans la cour de récré, Nina est comme toutes les autres petites filles, ou presque !
Elle est championne de marelle, sait danser sur les pointes, mais elle a aussi des pouvoirs… magiques.

C'est vrai ! Nina est une fée. Pourtant, elle n'a pas le droit de le révéler, même pas à Louison, sa meilleure amie. « À l'école, tu dois te comporter comme les autres enfants ! » lui a ordonné sa maman.

Si seulement Nina pouvait désobéir ! Elle ferait apparaître un manège au milieu de la cour, avec un distributeur de bonbons. Et elle ferait boire à la directrice une potion qui l'empêcherait de donner des punitions.
Dring ! La cloche sonne la fin de la journée.
Nina et Louison rentrent ensemble en se racontant des histoires.

Soudain, elles entendent un miaulement.
« Regarde, Nina ! Un petit chat est coincé sur le toit !
– Attention ! Les tuiles sont très glissantes ! » crie Nina.
Les deux amies sont effrayées à l'idée de voir le chaton tomber sur le sol.

Cette fois-ci, Nina doit agir vite. Après tout, elle n'est pas à l'école ! Elle regarde à droite, à gauche : personne ne les observe.
La petite fée attrape son médaillon magique caché sous son pull et prononce la formule : « Voli, volo, vola ! Tapilo vola ! »

Louison n'en croit pas ses yeux. Dans un nuage de fumée colorée, un tapis volant apparaît et vient se poser juste en face du chaton. Celui-ci saute dessus et redescend sur la terre ferme, sans une égratignure.
« Nina, tu es une… une… bafouille Louison.
– Oui, je suis une fée ! Mais chut ! C'est un secret ! Maman ne veut surtout pas que la maîtresse le sache… » dit Nina tout bas.

Louison la gourmande accepte de ne pas raconter ce qu'elle a vu, à une condition : « La prochaine fois qu'il y a des épinards à la cantine, tu peux les transformer en frites ? »

Jim la Terreur

Jim a très envie de devenir un terrible bandit.
Il rêve de faire peur à tous les cow-boys du Far West.
« Un jour, on m'appellera Jim la Terreur ! » se dit-il chaque matin.

Pour l'instant, il essaie d'apprendre son métier de bandit,
mais ce n'est pas facile : il n'a jamais de chance.
Quand il veut attaquer la diligence, son poney amoureux
s'en va galoper après une ponette.
Et quand Jim s'élance pour dévaliser la banque,
il se retrouve par erreur dans le salon du coiffeur !
À vrai dire, il y a des jours où le pauvre Jim est tout à fait
désespéré.

Un soir, près du grand canyon, il remarque une chose brillante par terre.
« De l’or, youpi, me voilà riche ! » s’exclame-t-il.
Hélas, ce n’est que l’étoile du shérif. Celui-ci a dû la perdre en poursuivant des voleurs.

« Elle est belle tout de même », murmure Jim
en admirant l'étoile.
À cet instant, il entend un ricanement.
Un gros barbu surgit d'un buisson.

« C'est toi, le nouveau shérif ? demande l'homme.
Ha ha, maigrichon comme tu es, tu dois à peine effrayer les mouches !
– Hein ? Qui vous a permis de m'insulter ? » réplique Jim, très agacé.
Ce malpoli ne lui répond même pas et s'en va à grands pas.
Furieux, Jim enfourche son poney pour se lancer à sa poursuite… mais il se retrouve assis à l'envers, il se demande bien comment !
Aussitôt, son cheval part au galop.

Impossible de tenir en selle, Jim dégringole.
Et voilà qu'il tombe droit sur le gros barbu,
qui s'effondre assommé.
Des cow-boys l'aperçoivent et s'écrient : « Regardez,
Jim a capturé Bad Billy, le redoutable hors-la-loi ! »
Quel succès inespéré de retour à la ville ! Désormais,
c'est décidé : Jim la Terreur fera peur à tous les bandits !

La révolte des moutons

Dans le Pays des rêves, chaque soir, c'est le même rituel.
« Un mouton, deux moutons… »
Lorsqu'un enfant a du mal à s'endormir, il compte
les moutons qui sautent par-dessus une barrière.
Frisou, le chef du troupeau, n'en peut plus !

Il se plaint auprès de la Fée du Sommeil.
« Mes moutons et moi, nous sommes épuisés !
– Je veux bien vous accorder quelques nuits de repos, dit la fée. Mais je te charge de trouver d'autres animaux pour vous remplacer. »
Aussitôt dit, aussitôt fait, Frisou part à la recherche de volontaires pour sauter par-dessus la barrière.
Une meute de chiens acceptent tout de suite.

« Les enfants ne doivent se rendre compte de rien, explique Frisou. Voici des couvertures en laine blanche à mettre sur vos dos. »
Le soir venu, les chiens déguisés en moutons sautent les uns après les autres, mais, catastrophe, ils ne peuvent s'empêcher d'aboyer !
Les enfants, effrayés, se mettent à pleurer !

« Nous allons demander aux ânes de nous remplacer. Eux au moins, ils sont silencieux ! » dit Frisou.
Mauvaise idée ! Les ânes sont de gros paresseux et au dernier moment, ils refusent de sauter. C'est un vrai embouteillage ! Les enfants n'arrivent plus à compter !
La Fée du Sommeil finit par s'énerver.
« Laisse-nous une dernière chance ! Les cochons acceptent de se déguiser ! supplie Frisou.

– Les cochons ? Ils vont se rouler dans la boue et grogner ! »
Frisou a compris. Les enfants ont besoin de lui et de son troupeau.

« Rien n'est plus doux qu'un mouton pour les aider à s'endormir paisiblement », ajoute la fée.
Frisou se sent flatté. Le soir même, il rassemble son troupeau.

« Bonne nouvelle ! La Fée du Sommeil a raccourci
la hauteur de la barrière. Nous serons moins fatigués.
Alors, prêts à sauter, les moutons ? »
Et cette nuit-là, les enfants s'endorment très vite,
heureux d'avoir retrouvé leurs moutons préférés !
Chut !

Robin et la licorne enchantée

Le chevalier Robin n'a peur de rien.
Il a vaincu mille brigands, des soldats armés jusqu'aux dents, des dragons épouvantables et des enchanteurs redoutables…
Dans le royaume, tous l'admirent – surtout les belles dames.

Un matin, la princesse Corneline vient le trouver :
« Chevalier Robin, pourriez-vous capturer pour moi la licorne du Bois Joli ? J'aimerais tant la posséder ! »
Ses yeux dorés pétillent.
Corneline est étrange, mais très charmante.
« C'est comme si c'était fait ! » répond le chevalier.

Robin explore longtemps le Bois Joli.
Enfin, il trouve la licorne et la poursuit au galop.
Mais elle file plus vite que le vent et épuise son cheval.
Le soir, le chevalier l'aperçoit buvant au ruisseau.
Il bondit pour l'emprisonner dans son filet.
Mais l'animal enchanté se transforme en nuage…
et Robin s'étale dans l'eau.

Vexé, il dégaine son épée et menace la licorne réapparue :
« Rends-toi ! Comment oses-tu me résister ? »
Du bout de sa corne, la bête fait voler son arme
et s'enfuit.
Robin poursuit la licorne pendant des jours et des nuits.
Impossible, Robin ne réussira jamais à la rattraper !

Quand soudain il lui vient une idée : il cueille une fleur parfumée, s'approche de la licorne qui se repose dans l'herbe et la lui tend délicatement.
La licorne observe le chevalier avec ses yeux dorés, puis grignote la fleur. Elle se laisse même caresser.

Et voilà qu'elle se transforme : elle devient la princesse Corneline !
Celle-ci lui murmure, amusée : « Bravo, vous avez enfin compris comment m'apprivoiser ! »
Depuis ce jour, le chevalier n'a plus envie de batailler : il est si doux de rester auprès de sa Corneline-licorne adorée…

Choupinet veut être un grand frère

Dans la famille cochon, il y a Choupette la grande sœur, Chonchonette la moyenne et Choupinet le tout-petit.
Choupinet en a assez d'être le dernier de la famille.
Assez de récupérer le vélo à roulettes de ses sœurs !
Assez de porter leurs vieilles baskets !
Assez de dormir en bas du lit superposé !

« Je voudrais être un grand frère, explique Choupinet à sa maman qui étend du linge dans le jardin.
– Voyons, Choupinet, tu vois bien qu'on est déjà nombreux à la maison, soupire-t-elle.

– Je voudrais être un grand frère, insiste-t-il auprès de son papa, qui fabrique des nouveaux tabourets.
– Voyons, Choupinet, j'ai déjà assez de travail avec vous trois », sourit-il.

Un jour, Choupinet confie à sa mamie :
« Tu sais, je voudrais être un grand frère.
Je prêterais mes voitures au bébé.
Je lui construirais une cabane.
Je le protégerais du méchant loup…

– Ce sont de super-idées, dit mamie, tu y as déjà beaucoup réfléchi… Tu verras, peut-être qu'un jour une bonne nouvelle arrivera ! »
Qu'est-ce que mamie a bien voulu dire par là ?
Choupinet y pense toute la semaine, et encore toute la semaine suivante.

Un soir, en rentrant de l'école, les trois petits cochons voient une voiture garée devant la maison.
Ils foncent dans le salon et s'arrêtent d'un coup : leur tatie rentre des États-Unis. Elle tient un tout petit cochon dans les bras.
« Choupinet, je te présente Chonchon, sourit tatie.
Il a huit jours, et je crois qu'il a besoin d'avoir… un grand cousin ! »

Choupinet caresse le front du bébé. Il s'assied à côté
de lui et tatie lui permet de donner la fin du biberon.
« Je suis ton grand cousin pour toute la vie »,
lui souffle-t-il à l'oreille.
Et comme Chonchon a tout compris, il s'endort heureux
dans les bras de son grand… cousin.

Léa, la petite coccinelle, est bien embêtée : elle ne sait pas compter jusqu'à 10.
Quand elle part acheter 9 pucerons pour sa maman, elle n'en rapporte que 8. Le dîner est raté.
Quand elle fête l'anniversaire de son grand frère, elle décore le gâteau avec 7 bougies au lieu de 10. Son grand frère n'est pas content du tout…

Sa maman la rassure : « Ça viendra, Léa, tu compteras bientôt très bien, tu verras. »
Mais la petite coccinelle veut savoir compter tout de suite.

Elle va voir son ami Tob le mille-pattes qui lui explique :
« C’est bien simple, Léa. Moi, je compte sur mes pattes.
1, 2, 3, 4, 5… 10, 100, 1000 ! »
Léa trouve cela génial, mais elle n’a que… 6 pattes.
Tob est désolé, il n’a pas d’autre astuce à partager.

Léa ne se décourage pas. Elle va
voir son amie Sara la sauterelle, qui lui
propose : « Pour compter, fais comme moi,
Léa. Saute ! »
Et Sara compte ses bonds pendant que Léa saute avec
elle : « 1, 2, 3, 4, 5… 10. » Léa trouve cela très amusant,
mais très vite elle s'arrête, complètement épuisée.
Léa a des ailes pour voler, pas de grandes pattes
pour sauter.

En rentrant chez elle, Léa passe devant la garderie des coccinelles. Là, elle voit tout un groupe de bébés alignés qui dorment sur de petits tapis. Ils sont si mignons, avec leurs taches noires sur leurs ailes rouges bien astiquées. Et soudain, Léa remarque : le premier a 1 tache, le deuxième en a 2, le troisième, 3… Hourra ! Elle a enfin trouvé son astuce !

« Maman, maman, je sais compter maintenant ! » dit Léa en rentrant.
Très fière, elle s'envole devant le miroir et compte sur ses ailes : « 1, 2, 3, 4, 5, 6, 7, 8, 9… et 10 ! »

La nouvelle robe de la sorcière Ratafia

Ratafia la sorcière n'a pas de jolie robe à mettre
pour l'anniversaire de sa cousine Ursule.
Sa robe en pneu tricoté est vraiment trop démodée !
Pouah !
Elle téléphone à son amie Olga : « Allô ?
C'est Ratafia. Peux-tu venir m'aider à choisir une robe
pour l'anniversaire de ma cousine ? »
Vite, Olga saisit son livre de formules magiques,
enfourche son balai et s'envole chez son amie.

À peine arrivée, Olga essaie la première formule de son livre, ouvert à la page « mode de sorcières ».
« Abracadabri, robe par-ci, abracadabra, robe par-là ! »

Ratafia se retrouve vêtue d'une magnifique robe en toile… d'araignée !
« Heu, je crois que c'est un peu trop fragile », observe Olga.

« Abracadabri, robe jolie, abracadabra, robe voilà ! »
Cette fois, Ratafia est vêtue d'une tunique
en poil de… rat !
« Au secours, ça me gratte ! » hurle Ratafia.

« Abracadabri, abracadabra, robe jolie apparaîtra ! »
tente une dernière fois Olga.
Ratafia est superbe : elle est parée d'une robe en plumes
de corbeau, douce et légère.

« Oups ! C'est l'heure de l'anniversaire ! »
Ratafia embrasse son amie et s'envole à toute allure vers la maison de sa cousine.
« Comme tu es belle ! s'exclame Ursule. Mais tu n'as pas bien lu mon invitation. J'organise un pique-nique au bord de la mer. Il te faut un maillot de bain ! »

Et Ratafia, qui n'a pas de maillot de bain, emprunte celui de sa cousine. Pouah ! Un Bikini en pneu tricoté, complètement démodé, mais Ratafia a quand même passé une excellente journée !

L'amitié, c'est... magique !

À l'école de la magie, toutes les petites fées ont des chapeaux roses avec une étoile dessus… et toutes les petites sorcières, des chapeaux noirs avec une araignée suspendue.
Dans la cour de récréation, fées et sorcières ne jouent jamais ensemble.
« Nous sommes des sorcières, nananère ! crânent les unes.
– Les fées sont plus jolies, tralali ! » chantent les autres.

Assise dans un coin, Lili fée s'ennuie. Son chapeau est un peu taché, les autres fées ne lui parlent jamais. Derrière le marronnier, Lou la sorcière se cache. Ses cheveux sont blond filasse. Les autres sorcières ne l'invitent jamais.

À chaque récréation, Lili fée s'entraîne à faire des tours : *« Baguette chérie, fais un tour très beau, donne-moi un cadeau ! »* Et la baguette lui apporte un crapaud ! Lili fée recommence : *« Baguette chérie, fais un tour par là, donne-moi du chocolat ! »* Et la baguette lui apporte de la boue. Pouah ! Ça ne marche toujours pas.

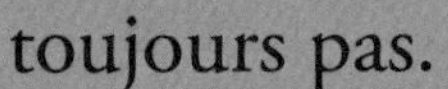

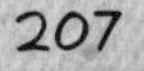

Un jour, Lou la sorcière s'approche de la petite fée :
« Est-ce que tu veux bien faire de la magie avec moi ?
– D'accord, dit Lili. Sors ta baguette et ferme les yeux.
Essayons cette formule : *"Baguette chérie, fais un tour par ici, donne-moi une amie !"* »

Quand Lili fée ouvre les yeux, il y a Lou au bout de sa baguette magique.
« Ça a marché ! » s'exclame Lili en prenant la main de Lou.
Et elles s'en vont bras dessus, bras dessous, chanter tout autour de la cour : « Qui veut apprendre un nouveau tour de magie ? Qui veut avoir une amie ? »

Depuis cette journée, à l'école de la magie, il y a des petites fées maquillées et des petites sorcières bien peignées qui jouent ensemble toute la journée !

Qui a volé le sable du marchand de sable ?

Le soleil se couche.
Dans son salon, le marchand de sable se prépare.
Il met son grand manteau et enfonce son bonnet sur sa tête. Au milieu des nuages, il ne fait pas toujours chaud ! Hop !
Il file au grenier chercher son sable magique.
Catastrophe ! La pièce est vide !

Le marchand de sable lève ses grands bras en l'air :
« Mes sacs de sable ont disparu ! Comment vais-je endormir les enfants ? »
Il descend quatre à quatre les escaliers et va chez sa voisine, la petite souris.
« Toc, toc, petite souris, ouvre-moi ! On m'a volé mon sable ! »

La petite souris range ses pièces d'or dans son joli coffre.
« Calme-toi. Qui sait que tu caches tes sacs de sable dans ton grenier ?
– Tu es la seule à être au courant ! Oh ! la, la ! la nuit tombe ! » se lamente le marchand de sable.

La petite souris tortille ses petites moustaches et s'écrie soudain : « Mais oui, bien sûr ! Mes neveux mulots sont en vacances chez moi ! Je les ai surpris l'autre jour en train de t'espionner ! Mon petit doigt me dit qu'ils ont dû faire une bêtise ! »

La petite souris et le marchand de sable appellent
les mulots. Ils les cherchent dans leur chambre,
dans la cuisine, personne !
Au fond du jardin, ils les découvrent enfin, paisiblement
endormis, au pied d'un magnifique château de sable !
Le marchand se précipite : « Mon sable magique ! »

La petite souris ramasse les pelles et les seaux.
« Ils ont voulu transformer le jardin en plage !
Les voilà bien attrapés ! Ils ne sont pas près de se réveiller
avec tout ce sable magique ! »

Le marchand de sable charge vite ses sacs sur son nuage magique. Il est l'heure de commencer sa tournée ! Cette nuit-là, les enfants s'endorment comme d'habitude, mais à leur réveil, sur leur oreiller, ils découvrent émerveillés de minuscules coquillages, comme à la plage !

À l'école des princesses

À l'école des princesses, c'est le jour du spectacle de fin d'année. Les rois et les reines de tous les pays viennent applaudir leurs petites filles.
La directrice, madame Crinoline, annonce : « Princesse Gracieuse va nous interpréter *La Chanson de la rose !* »

Dans les coulisses, Princesse Pestouille se frotte les mains.
« Ma marraine Carabosse est là, et elle m'a promis de jeter un sort à cette prétentieuse de Gracieuse. Pourvu qu'elle la transforme en crapaud baveux ! »
Au milieu des spectateurs, la fée Carabosse récite tout bas sa formule : « Croa, croa, que ta voix croasse ! »

Mais rien ne se passe. La voix de Gracieuse est aussi mélodieuse que celle d'un rossignol. Princesse Pestouille trépigne.

« La baguette de marraine est cassée ? Que se passe-t-il ?

– Atcha, atchoum, éternue, je te l'ordonne ! » chuchote Carabosse en jetant une poignée de poudre vers Princesse Gracieuse. Mais voilà que la poudre se transforme en une nuée de papillons roses et blancs.
« C'est merveilleux ! Bravo ! » applaudissent les rois et les reines. Princesse Pestouille est verte de rage, Carabosse n'y comprend rien !

Tout à coup, la fée Mélusine apparaît.
« Je suis la marraine de Gracieuse et je ne sors jamais sans ma baguette magique ! J'ai pu annuler tes méchants sorts, Carabosse !
– Tu te crois la plus forte ? Cric, crac, cruc, que ta baguette se craque ! » s'écrie Carabosse.
Trop tard ! Mélusine a déjà agité sa baguette et transformé la vilaine fée en nuage de poussière !

Au même instant, un magnifique violon apparaît entre les mains de Princesse Pestouille.
« La jalousie est un vilain défaut ! dit Mélusine. Tu ferais mieux de participer au spectacle ! »
Quelques minutes plus tard, Princesse Gracieuse chante de nouveau. Mais cette fois-ci, elle est accompagnée par une douce mélodie : celle du violon de Princesse Pestouille !

Jacotte, la petite tortue qui voulait faire du patin à roulettes

Ce matin, Jacotte, la petite tortue discrète, a trouvé dans le jardin un patin à roulettes.
Ça, c'est chouette !
Si elle le remonte jusqu'au haut de la pente, à elle la belle descente !

Ho ! hisse ! la petite tortue commence à pousser.

Jacotte passe devant Gaston le papillon. Il ne la remarque même pas, il est bien trop occupé à montrer ses belles couleurs à toutes les fleurs.
Ho ! hisse !

Jacotte passe devant Léon le hérisson.
Il ne la voit même pas, il est en train de comparer ses piquants avec les châtaignes.
Ho ! hisse !
Jacotte passe devant Edmond le pinson. Il ne l'entend même pas, il est bien trop concentré à faire chanter la chorale des escargots.

Ho ! hisse ! Jacotte est arrivée tout en haut de la grande pente. À la une, elle se hisse sur le patin ; à la deux, elle attache sa ceinture de sécurité ; à la trois, c'est parti !
Ouh… Ça va vite ! Jacotte aime sentir le vent sur sa carapace…
Elle passe devant Edmond.
« Attends-moi, Jacotte », chante le pinson qui vole à toute vitesse sans pouvoir la rattraper.

Elle passe devant Léon.
« Oh, Jacotte, tu me laisses en faire, moi aussi ? »
hurle le hérisson qui fait courir ses petites pattes.
Elle passe devant Gaston.
« Jacotte, on fait la course tous les deux ? » siffle
le papillon en battant des ailes.

Arrivée au bas de la pente, Jacotte a les yeux pleins de larmes : c'est le vent, et c'est le rire aussi !
Ses amis arrivent tout essoufflés : « Jacotte, tu nous prêtes ton patin ?
– D'accord, dit Jacotte. Mais en échange, j'aimerais bien que vous me remontiez jusqu'au haut de la pente. »
Ho ! hisse !

Les trois amis ont poussé Jacotte confortablement assise sur le patin. Et ils ont roulé tout l'après-midi. Voilà comment Jacotte, la petite tortue discrète, est devenue championne de patin à roulettes !

La fée Folette a perdu ses lunettes

« Saperlipopette ! Où ai-je posé mes lunettes ? » s'agite la fée Folette en voletant dans toute la maison.
Elle doit défiler à la Grande Parade des Animaux Magiques et, sans lunettes, il lui est impossible de lire les formules magiques pour faire apparaître la plus petite bête…
Désolée, Folette regarde sa baguette qui ne lui sert plus à rien.

Trois grosses larmes coulent sur ses joues et… trois petits lutins apparaissent.
« Pouic, Flac, Ploc, à votre service ! » s'écrient-ils avec un grand sourire.
Aussitôt, Pouic se penche sur une page du grimoire de magie et déchiffre le premier mot : « Abracadapouic !
– Non, c'est abracadaflac ! s'exclame son frère.
– Pas du tout : abracadaploc ! » se fâche Ploc.

« Abracadapouic – flac – ploc, articule Folette en faisant tourner sa baguette… Au secours ! » Elle se cache sous la table, car elle vient de faire apparaître une horrible grenouille en chaussettes.
« Ce n'est pas du tout ce que je voulais », pleurniche Folette en pensant à la merveilleuse licorne représentée sur son livre.

« Ho ! Hisse et pouic… » s'affaire Ploc sous le buffet.
Étonné, il sort un drôle d'objet.
C'est fin, un peu tordu, et ça donne mal au cœur à Flac qui regarde au travers.
« Hourra, saute de joie Folette, vous avez trouvé mes lunettes ! »

Elle embrasse les lutins, se penche sur le grimoire et lit :
« Abracadabra, une licorne tu auras. »
Immédiatement, la grenouille se transforme en
un magnifique cheval ailé… à chaussettes !
Les trois lutins et Folette s'installent sur le dos
de la créature et bondissent dans le ciel. Vite, la parade
va bientôt commencer !

Et c'est ainsi que le Conseil de la magie, après avoir contemplé trente-trois dragons enflammés, vingt et une sirènes argentées et dix-sept araignées géantes, a récompensé la magnifique licorne à chaussettes, ses trois lutins cavaliers et son écuyère à lunettes !

« Madame Chatouille est malade ! »
Agathe et Tom courent chez leur voisine préférée. Allongée sur son lit, la vieille dame n'arrête pas de se gratter les pieds, les bras et même le bout du nez. Sa peau est recouverte de petits boutons… verts !

« J'ai attrapé la gratouillis. Ce n'est pas grave, mais j'ai besoin de ma boîte à remèdes qui se trouve dans mon magasin. Pourriez-vous me la rapporter, mes petits poussins ? demande madame Chatouille en se grattant les oreilles.

– On y va tout de suite ! » s'écrie Tom.

Les deux enfants entrent dans le magasin « Farces et compagnie ». Sur les étagères, il y a plein d'objets rigolos. Tom essaie une paire de lunettes géantes.
« Hi, hi ! Tes yeux sont énormes ! » rit Agathe.

Elle trouve une boîte rouge à pois bleus.
« C'est écrit : BOULIBOULI. »
Elle l'ouvre et hop ! des dizaines de boules s'échappent et rebondissent du sol au plafond. Pouet ! Agathe tombe à la renverse sur un coussin qui fait pouet ! pouet !

Tom éclate de rire et soulève doucement le couvercle d'une boîte toute blanche.
« Les médicaments sont peut-être dedans ? »
Un gros nuage de poudre s'échappe. « Atchoum ! » éternuent les deux amis.
« Atchoum ! Regarde là-haut ! dit Agathe.
Sur cette boîte est écrit CALMOBOBO !
Je suis sûre que c'est celle qu'il nous faut !
Atchoum ! »

Les enfants courent chez madame Chatouille en espérant ne pas se tromper.
« Bravo et merci, mes chéris ! » les félicite la vieille dame en ouvrant la CALMOBOBO.
Elle attrape un flacon au liquide bleu phosphorescent et en boit une gorgée. Fini les gratouillis, et les boutons disparaissent, comme par magie.

Tout à coup, Tom lit une petite phrase écrite au bas de la boîte : *bien se couvrir la tête avec un foulard avant de boire le remède.* Trop tard…

« Vos cheveux ! crient Tom et Agathe, étonnés. Ils sont devenus bleus !

– Ne vous inquiétez pas, répond madame Chatouille, dans mon magasin, vous trouverez une autre boîte à remèdes ! »

06

La vieille cigale et les petites fourmis...

C'était l'automne et Madame Cigale écoutait sur
sa terrasse son disque préféré.
Boum ! Boum ! Soudain, le sol trembla sous ses pieds.
« Quel est donc ce raffut ? »
Des voix résonnaient au loin.
« Fourmita, dépêche-toi ! Il faut creuser le tunnel n° 10
d'ici à ce soir !
– Ohé, Fourmito, tu me prêtes ton marteau piqueur ? »
Madame Cigale devint encore plus verte… de rage !

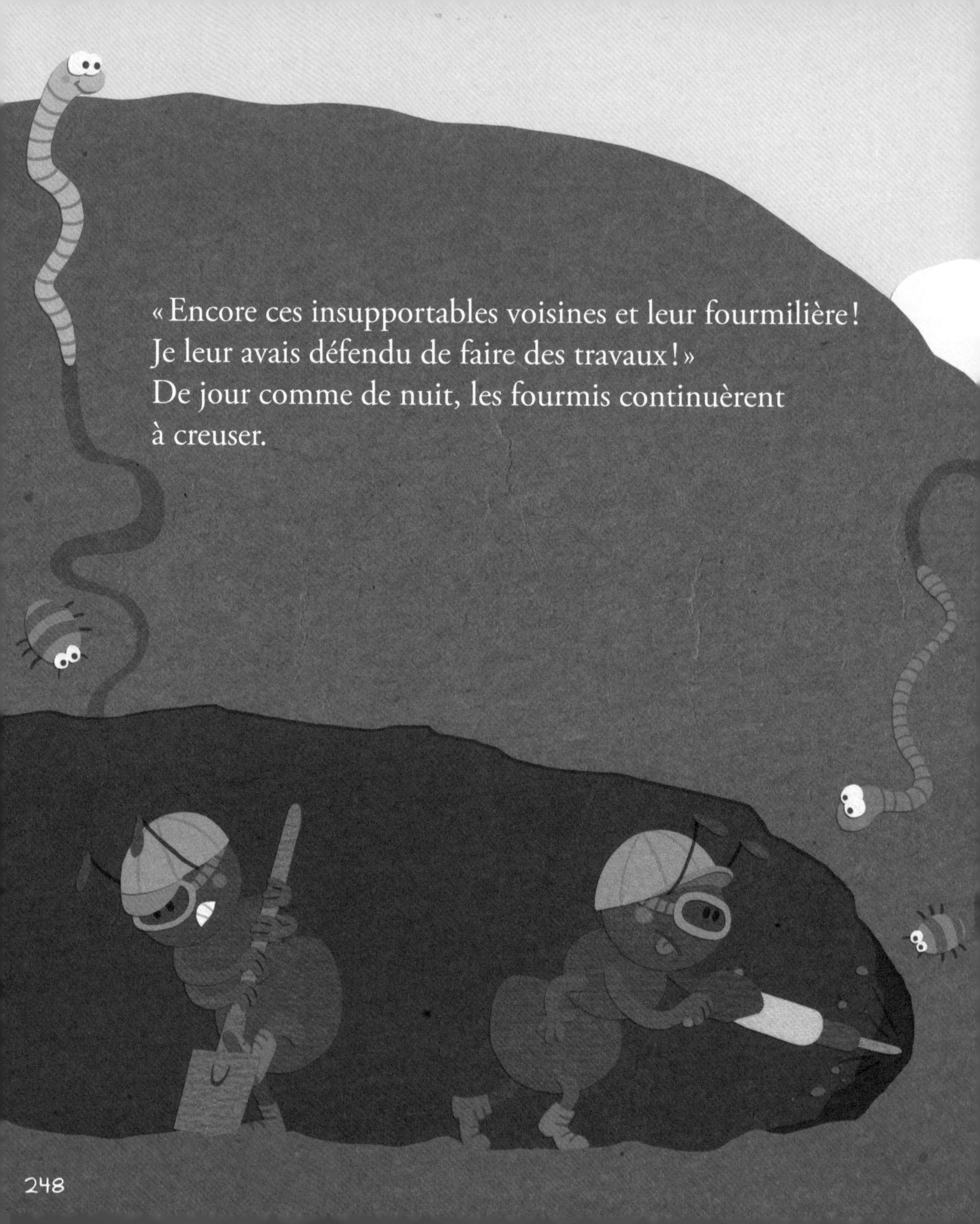

« Encore ces insupportables voisines et leur fourmilière !
Je leur avais défendu de faire des travaux ! »
De jour comme de nuit, les fourmis continuèrent
à creuser.

Madame Cigale avait mal à la tête et quand le bruit cessa enfin, elle s'endormit plusieurs jours d'affilée.
À son réveil, elle grelottait de froid et se demanda pourquoi elle ne voyait plus rien à travers ses fenêtres.
Une poudre blanche était collée à ses vitres. Et sa porte était complètement bloquée. Soudain, elle comprit.
« C'est l'hiver ! Ma maison est enfouie sous la neige ! »

Madame Cigale émit son cri le plus strident, mais personne ne répondit. Et les fourmis ? Après avoir travaillé tout l'été, elles étaient sûrement parties en vacances. Tout à coup, la cigale ne fut jamais aussi heureuse : elle entendait une tractopelle et des perceuses. « Tout va bien, Madame Cigale ? On arrive ! » cria Fourmita.

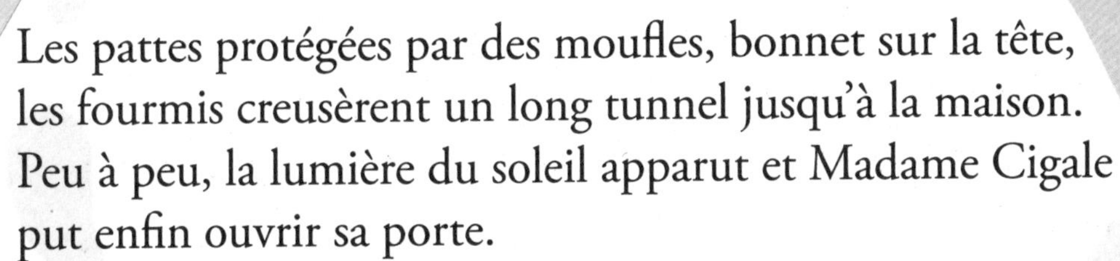

Les pattes protégées par des moufles, bonnet sur la tête, les fourmis creusèrent un long tunnel jusqu'à la maison. Peu à peu, la lumière du soleil apparut et Madame Cigale put enfin ouvrir sa porte.

« Merci, mesdemoiselles, vous m'avez sauvé la vie !

– Les travaux de la fourmilière sont terminés. Accepteriez-vous de venir boire un thé chez nous ? » demanda Fourmita.
Madame Cigale se dit qu'elle avait finalement beaucoup de chance d'avoir de telles voisines. Cela lui donna une idée.
« Et si j'apportais mon disque préféré ? Nous pourrions danser ensemble en attendant le printemps ? »

Achevé d'imprimer en juin 2020 par Canale en Roumanie
N° d'édition : J20254-11
Dépôt légal : octobre 2013

Ce livre a été imprimé sur du papier issu de forêts exploitées en gestion durable
et avec des encres végétales respectueuses de l'environnement.

Encres végétales